D1432769

Autres beaux-petits-livres Exley
Merci à une maman exceptionnelle
L'amitié, citations
Je pense à toi
Heureux anniversaire à quelqu'un d'extraordinaire
Parlez-moi de compassion
Parlez-moi de joie
Parlez-moi de sérénité
Parlez-moi d'amour attentif
Parlez-moi de sagesse
Parlez-moi de simplicité
...

© **Éditions Exley sa 2000**
13, rue de Genval   B - 1301 Bierges
Tél.: +32. 2. 654 05 02 - Fax : +32. 2. 652 18 34
e-mail: exley@interweb.be

© Helen Exley 1999
© Illustrations d'Angela Kerr

D 7003/ 2000/ 21   ISBN 2-87388-211-5
Imprimé en Chine
12 11 10 9 8 7 6 5 4 3 2

Amour &
Romance

UN LIVRE-CADEAU D'HELEN EXLEY

EXLEY
PARIS · LONDRES

L'AMOUR - DOUX-AMER, IRRÉPRESSIBLE - APAISE MON CORPS ET JE FRISSONNE.

SAPHO
(env. 610-635 av. JC)

*Tu as rehaussé l'éclat
des couleurs,
mis en valeur
la beauté des choses,
cultivé le bonheur.
Je t'aime plus que ma vie,
ma vénus, ma reine.*

DUFF COOPER, (1890-1954)

TES PAROLES SONT

MA NOURRITURE,

TON SOUFFLE, MON VIN.

SARAH BERNHARD,
(1844-1923)

Nous sommes tous nés pour aimer. C'est le principe même de l'existence et sa finalité.

BENJAMIN DISRAELI,
(1804-1881)

Ce qui donne vie à toutes choses, c'est l'amour.

TSCHU-LI

L'AMOUR EST LE PREMIER MAI DU CŒUR.

BENJAMIN DISRAELI,
(1804-1881)

La prendre dans mes bras
en attendant l'aube et
être à jamais son compagnon,
c'était ce que je désirais le plus a
monde,
aussi longtemps que je vivrais...
Et je me disais ceci,
avec une pointe d'émerveillemen.
l'amour c'était cela: cette
consécration,
ce curieux transport intérieur,
cette joie subtile et inexplicable,
cette intolérable souffrance.

AUTEUR INCONNU

Il N'Y A RIEN DE PLUS

DIVIN,

DANS CETTE VIE

QUI EST NÔTRE,

QUE LE PREMIER

SENTIMENT D'AMOUR,

LE PREMIER BATTEMENT DE

SES AILES ARGENTÉES.

HENRY WADSWORTH LONGFELLOW,
(1807-1882)

J'ai le vertige, l'attente me donne le tournis. Cette volupté imaginaire est si douce Qu'elle enchante mes sens.

WILLIAM SHAKESPEARE,
(1564-1616)

Il y a du réconfort dans la force de l'amour. Il rend supportable une situation qui, sans lui, bouleverserait l'esprit et briserait le cœur.

WILLIAM WORDSWORTH,
(1770-1850)

L'amour rend tendres les cœurs durs.

GEORGE HERBERT,
(1593-1633)

L'amour adoucit
les choses amères.
L'amour transforme
le cuivre en or.
Grâce à l'amour
la canaille est innocentée et
les souffrances se cicatrisent.
L'amour
fait revivre les morts
et fait d'un roi
un esclave.

JALAL AL-DIN RUMI.
(1207-1273)

L'amour peut auréoler de gloire la vie des petites gens.

ANNELOU DUPUIS

*On ne peut pas
toucher l'amour...
mais on peut sentir
la douceur
qu'il répand sur
chaque chose.*

ANNIE SULLIVAN.
(1866-1936)

... nous sommes
faits
pour aimer:
toutes les douceurs
de la vie sont
pour ceux qui aiment.
Réjouissons-nous,
osons !

LE RUBAIYAT
D'OMAR KHAYYAM

L'AMOUR... INSUFFLE UNE SECONDE VIE QUI GRANDIT DANS L'ÂME, ANIME CHAQUE VEINE ET EN RYTHME CHAQUE PULSATION.

JOSEPH ADDISON,
(1672-1719)

Agréable est la neige en été
pour celui qui est assoiffé.
Agréable est la floraison du
printemps pour le regard du
marin, après l'hiver.
Bien plus agréable est la cape
qui enveloppe deux amants et
l'histoire d'amour
qui se raconte à deux.

ASCLEPIADES,
(1er siècle avant J-C)

*En amour, il n'y a plus
de «toi» et de «moi».
Car le «soi» n'existe plus
lorsqu'il s'agit du Bien-aimé...*

FARID AL - DIN ATTAR

*L'amour seul peut unir
les êtres vivants de façon
à les enrichir et les combler,
car lui seul sait les réunir
par ce qu'il y a de plus
profond en eux.*

PIERRE TEILHARD DE CHARDIN

*Rien n'est plus doux
que l'amour, rien
n'est plus fort,
plus grand, plus vaste,
plus gai, plus absolu,
il n'y a rien de mieux
au paradis ni
sur terre...*

THOMAS À KEMPIS, (1379-1471)

*La vie est comme une fleur dont
l'amour est le miel.*

VICTOR HUGO, (1802-1885)

*Dans notre vie,
comme sur la palette
d'un artiste, une seule couleur
donne tout son sens
à l'art et à la vie.
C'est la couleur de l'amour.*

MARC CHAGALL, (1889-1985)

*... l'amour est un magicien.
... Il enivre, ensorcelle, donne
l'illusion d'être seul au monde.
Il embaume l'air, change la
froideur en ardeur et embellit
tout sur son passage.*

LEOŠ JANÁČEK, (1854-1928)

*Comme cette lumière est claire,
comme elle est vive, ...ainsi en
est-il de cet amour
qui irradie un monde plongé
dans les ténèbres.*

ODILE DORMEUIL

*L'amour
des gens simples
illumine le monde.*

JENNY DE VRIES

Quoiqu'ils ne se fussent
point parlé depuis longtemps,
ils se trouvèrent accoutumés
l'un à l'autre et
leurs cœurs se remirent
aisément dans un chemin
qui ne leur était pas
inconnu.

MADAME DE LA FAYETTE, (1634-1693)
« La Princesse de Montpensier »

... le récit idéal est celui de deux
personnes qui tombent amoureuses petit
à petit, avec espièglerie,
à la manière de deux enfants
s'aventurant ensemble dans
une pièce sombre.
dès le premier instant où ils se voient,
avec une pointe de curiosité, en
passant par les étapes d'une joie
grandissante puis de l'embarras, ils
lisent dans les yeux de l'autre
l'expression de leur propre trouble.
dès que l'homme prend conscience
de ses sentiments, il n'a plus de doute
sur ceux de son aimée.

ROBERT LOUIS STEVENSON,
(1850-1894)

Ici, avec un bout de pain

sous le feuillage,

une bouteille de vin,

un livre de poésie et toi

à mes côtés

chantant dans ce

lieu sauvage,

cet endroit a un goût

de félicité.

LE RUBAIYAT D'OMAR KHAYYAM

*Je mêlerai la blanche violette et
la délicate narcisse avec
des boutons de myrte,
je ferai une guirlande avec le
doux crocus,
la jacinthe érubescente et
les roses des amoureux
et cette couronne de fleurs
ondulant autour des tempes
d'Héliodore laissera tomber
ses pétales
sur les chères boucles de
ses cheveux .*

MELEAGER
(env. 80 av. JC)

*Dans ce monde de tristesse
et de labeur, voir soudain un
être charmant et avoir presque
aussitôt l'intime conviction
que votre destinée est à jamais
liée à cette gracieuse silhouette;
qu'il n'y a de plus grande joie
que la sienne, de plus grand
chagrin que le sien;
que la vision de son amour,
la douceur de son sourire
reflètent le bonheur absolu.
Voilà un amoureux, voilà
l'amour.*

BENJAMIN DISRAELI,
(1804-1881)

... tu m'as privé
de mots,
Seul le sang qui
coule dans mes veines
s'adresse à toi.

WILLIAM SHAKESPEARE,
(1564-1616)

Doute que les étoiles soient du feu,
Doute que le soleil se meuve,
Doute que la vérité soit mensonge,
Mais ne doute pas de mon amour.

WILLIAM SHAKESPEARE,
(1564-1616)

Quand l'amour vous fait signe
suivez-le,
Bien que ses chemins soient rudes et
escarpés.
Et lorsque ses ailes vous enveloppent,
cédez-lui.
Bien que l'épée cachée dans ses penne
puisse vous blesser.
Et lorsqu'il vous parle croyez en lui,
Bien que sa voix puisse
briser vos rêves comme
le vent du nord saccage
vos jardins.

KAHLIL GIBRAN, (1883-1931)

D'*innombrables insectes*

crient

du matin au soir,

gémissant: «j'aime! j'aime!»

Mais la passion silencieuse

de la luciole,

qui embrase son corps,

est bien plus intense

que n'importe quel appel.

Ainsi en est-il de mon amour...

CHANSON TRADITIONNELLE JAPONAISE

Dans les rêves comme en amour,
rien n'est impossible.

JANUS ARONY

Le cœur
a ses raisons que
la raison
ne connaît point.

BLAISE PASCAL

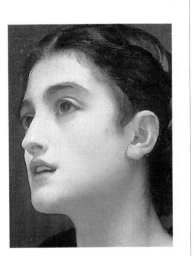

L'amour

n'est pas un feu

qu'on renferme en une âme.

Tout nous trahit,

la voix, le silence, les yeux.

Et les feux mal couverts

n'en éclatent que mieux.

JEAN RACINE, (1639-1699)
«Andromaque»

ELLE EST DEBOUT SUR
MES PAUPIÈRES
ET SES CHEVEUX SONT DANS
LES MIENS,
ELLE A LA FORME DE
MES MAINS,
ELLE A LA COULEUR DE
MES YEUX,
ELLE S'EGLOUTIT DANS
MON OMBRE
COMME UNE PIERRE SUR LE CIEL.

PAUL ÉLUARD,
« L'amoureuse »

LES YEUX D'ELSA

*Tes yeux sont si profonds
qu'en me penchant pour
boire
J'ai vu tous les soleils
y venir se mirer
S'y jeter à mourir tous
les désespérés
Tes yeux sont si profonds
que j'y perds la mémoire.*

LOUIS ARAGON,
(1897-1982)

Aujourd'hui, un jour nouveau

s'offre à moi.

Tout vit, tout s'anime,

tout semble évoquer

ma passion,

tout m'incite à la chérir.

Le feu qui me consume

donne à mon cœur et à mon âme,

de l'endurance et

de l'ardeur...

NINON DE LENCLOS, (1616-1706)

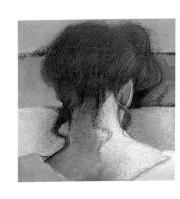

*Tous les amours mènent à l'ultime
amour, à l'ultime découverte de
nos formidables personnalités,
à la véritable rencontre...
Cela relevait tellement du miracle
qu'il importait peu que ce soit
un premier ou un deuxième
mariage,
qu'ils soient jeunes ou
d'âge mûr.
Quoiqu'il en soit, il s'agissait
d'une authentique rencontre,
d'un authentique mariage.*

ANNE MORROW LINDBERGH

QU'EST LA VIE
SANS L'ÉCLAT
DE L'AMOUR ?

FRIEDRICH VON SCHILLER,
(1759-1805)

Conservez l'amour dans votre cœur. Une vie dépourvue d'amour ressemble à un jardin parsemé de fleurs fanées et privé de soleil. Réaliser que l'on aime et que l'on est aimé, procure une chaleur et une richesse que rien ne peut égaler.

OSCAR WILDE, (1854-1900)

Aimer...
Se fondre et couler
comme un ruisseau
qui chante sa mélodie
à la nuit.
... Se réveiller à l'aube
avec des ailes au cœur
et rendre grâce pour
une nouvelle journée
d'amour...

KAHLIL GIBRAN,
(1883-1931)

LES GÉNÉRATIONS
SE SUCCÈDENT
ET DISPARAISSENT COMME
LES FEUILLES D'AUTOMNE:
SEUL L'AMOUR EST ÉTERNEL,
SEUL L'AMOUR
NE MEURT PAS...

HARRY KEMP

*D*epuis la nuit des temps
et encore aujourd'hui,
deux choses
restent immuables:
l'écoulement de l'eau et
l'étrange et tendre chemin
que prend l'amour.

MÉLODIE JAPONAISE

Le temps est trop lent
pour ceux qui attendent,
trop rapide pour ceux qui ont peur,
trop long pour ceux qui ont
du chagrin,
trop court pour ceux
qui se réjouissent,
mais pour ceux qui aiment,
le temps est éternel.

DAVID LAFLAMME

L'amour, c'est l'espace et le temps rendus sensibles au cœur.

MARCEL PROUST,
(1871-1922)

Remerciements à : Louis ARAGON: *«Les yeux d'Elsa», La* Baconnière, Neuchâtel, 1942, Jean Risat. LUC DECAUNES: *«Présence»* (1932-Poésie), Les Presses Universitaires de Nancy, Editions Serpenoise, 1992, © La Maison de Poésie KAHLIL GIBRAN: *«Le prophète»* © Casterman 1956.
Illustrations : AISA, Alinari, Archiv Für Kunst (AKG), Art resource (AR), Artworks (AW), Bill Brauer, Bridgeman Art Library (BAL), Christie's Images (CI) Gravures de chez Christie's , Fine Art Photographic Library (FAP), Giraudon (GIR), Index, Scala (SCA), Statens Konstmuseer (SKM), SuperStock (SS), Tate Picture Library. Couverture : E. Burne-Jones, *Employé Saunders,* Tate Picture Library; page de titre et pages 6 et 7: John Singer Sargent, *Madame Wilton Phipps* (détail), BAL; P.9: John William Waterhouse, *le réveil d'Adonis,* CI; P.10: Thomas Reynolds Lamont, Le choix du Prince, FAP; P.13: E. Burne-Jones, *Employé Saunders,* Tate Picture Library; P.15: Albert Durer, *Jeune femme vénitienne,* BAL; P.17: John Rodam Spencer-Stanhope, *Deux silhouettes dans une grotte,* BAL; Pages 18 et 19: Pierre Auguste Renoir, *Couple en train de lire* (Edmond Renoir et Marguerite Legrand) BAL; P.20: Sir Edward Burne-Jones, *Cupidon et Psyché,* BAL; Pages 22 et 23: © 2000 Dora Holzhandler, *Les amants,* BAL; Pages 24 et 25: Alexei Aleixeiwitsch Harlamoff, *Jeune fille au bouquet de roses,* BAL; P.27: A. Raudnitz, *Le bouquet,* BAL; P.29: James Tissot, *Les adieux,*